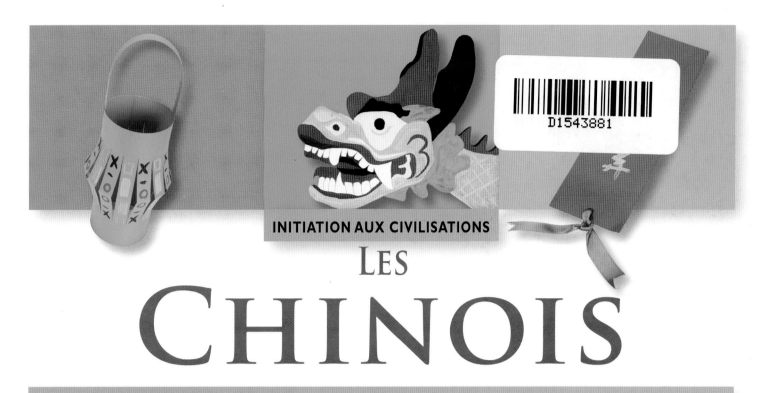

INITIATION AUX CIVILISATIONS

LES CHINOIS

MANGE, ÉCRIS, HABILLE-TOI ET AMUSE-TOI COMME LES CHINOIS

JOE FULLMAN

Texte français de Marie-Carole Daigle

Éditions
SCHOLASTIC

Édition publiée par les Éditions Scholastic, 604, rue King Ouest,
Toronto (Ontario) M5V 1E1.

5 4 3 2 1   Imprimé en Chine CP141   10 11 12 13 14

Texte : Joe Fullman
Conception graphique : Lisa Peacock
Direction artistique : Zeta Davies

Catalogage avant publication de Bibliothèque
et Archives Canada

Fullman, Joe

Les Chinois / Joe Fullman ;
texte français de Marie-Carole Daigle.

(Initiation aux civilisations)
Traduction de: Ancient Chinese.
Comprend un index.
Pour les 9-12 ans.
ISBN 978-1-4431-0155-4

1. Chine--Histoire--Ouvrages pour la jeunesse.
2. Chine--Civilisation--Ouvrages pour la jeunesse.
I. Daigle, Marie-Carole II. Titre.
III. Collection: Initiation aux civilisations

DS735.F8514 2010   j931   C2009-905550-3

Références photographiques :

Légende : h = haut; b = bas; c = centre; g = gauche; d = droite;
          PC = Page couverture

Alamy Images : p. 12 b : Lou Linwei; p. 14 c : Eddie Gerald/DK;
p. 18 b : Dennis Cox; p. 28 bg : dbimages/Allen Brown.
Bridgman Art Library : p. 16 h : Free Library (Philadelphie, Penn.,
É.-U.); p. 17 h : Free Library (Philadelphie, Penn., É.-U.)/Giraumon;
p. 18 hd : Musée Guimet (Paris, France)/Bonora Giraudon.
Corbis : p. 6 b : Robert Harding World Imagery; p. 8 bg : Zeng Nian;
p. 8 h : Christie's Images; p. 14 b : Jim Sugar; p. 16 bg : Liu Liqun; p. 18 hg :
Christie's Images; p. 23 hg : Liu Liqun; p. 29 h : Rob Howard.
Getty Images : pp. 4 c, 9 h, 12 h, 20 h : The Bridgeman Art Library;
p. 28 h : The Image Bank/Steve Allen.
Photolibrary : p. 14 h : Richard T. Nowitz; p. 22 b : Vidler Vidler;
p. 22 h : North Wind Picture Archives.
Rex Features : p. 26 bd.
Shutterstock : p. 4 b : Michael Rubin; p. 6 h : Pichugin Dmitry; p. 7 hg :
JCElv; p. 10 b : Ke Wang; p. 10 h : Sun Xuejun; p. 24 b : Craig Hanson;
p. 26 bg : design56; p. 26 h : John Leung.
Simon Pask : pp. 5 hg; 5 hd; 5 cg; 5 cd; 5 bg; 5 bd; 7 hc; 7 hd; 7 cg; 7 cd;
7 bg; 7 bd; 8 c; 8 bd; 9 cg; 9 cd; 9 bg; 9 bd; 11 hg; 11 hd; 11 cg; 11 cd; 11
bg; 11 bd; 13 hd; 13 cg; 13 cd; 13 bg; 13 bd; 15 hg; 15 hd; 15 cg; 15 cd; 15
b; 16 cd; 16 bd; 17 cg; 17 cd; 17 bg; 17 bd; 19 hg; 19 hd; 19 cd; 19 bg; 19
bd; 21 hg; 21 hd; 21 cg; 21 cd; 21 bg; 21 bd; 23 hd; 23 cg; 23 cd; 23 bg; 23
bd; 25 hd; 25 cg; 25 cd; 25 bg; 25 bd; 27 hg; 27 hd; 27 cg; 27 cd; 27 bg; 27
bd; 28 cd; 28 bd; 29 cg; 29 cd; 29 bg; 29 bd.
Topham Picturepoint : p. 13 hg : Board of Trustees of the Armouries/
HIP; p. 20 b : The Granger Collection; p. 24 h : The Museum of East Asian
Art/HIP.

UTILISEZ LES CISEAUX
AVEC PRUDENCE.

Les mots en **caractères
gras** figurent dans le
glossaire à la page 30.

Avant d'entreprendre une activité relative à la
préparation de nourriture ou à une dégustation,
les parents ou les enseignants doivent s'assurer
qu'aucun enfant présent n'est allergique aux
ingrédients. Dans le cadre d'une salle de classe, la
permission écrite des parents peut être nécessaire.

TABLE DES MATIÈRES

LES CHINOIS DE LA CHINE ANCIENNE

Les Chinois de la Chine ancienne ont vécu sur le territoire qui forme la Chine d'aujourd'hui. La **fondation** de la Chine remonte à l'an 221 avant J.-C. Avant cela, la population était répartie dans divers **États** distincts, chacun étant alors gouverné par un seigneur. Ces états étaient souvent en guerre les uns contre les autres. Puis, l'un d'eux est finalement parvenu à conquérir tous ses voisins et les a unifiés pour former un pays. Ce nouveau pays a pris le nom de la famille Qin (ou Ts'in) qui gouvernait. Le seigneur Qin est donc le premier empereur de Chine.

La Chine est un très grand pays d'Asie.

UN SUCCÈS QUI DURE

La Chine des empereurs dure plus de deux millénaires. Durant tout ce temps, le pays est gouverné par une succession de familles très puissantes, qui luttent les unes contre les autres pour être à la tête du pays. L'empereur est le chef de la famille dirigeante. Lorsqu'une famille est au pouvoir durant plus d'une **génération**, on dit qu'il s'agit d'une dynastie. Les dynasties se disputent, souvent pour diriger le pays. En 1912, le peuple chinois devient une **démocratie** et se libère de la dernière dynastie.

DE GRANDS INVENTEURS

À l'époque des dynasties, le peuple chinois invente une multitude d'objets encore utilisés de nos jours. C'est le cas, notamment, du papier, du cerf-volant et du parapluie. La Chine ancienne donne aussi naissance à un grand nombre de grands penseurs et d'artistes connus dans le monde entier.

L'empereur chinois est un personnage très puissant. Il se déplace installé dans un palanquin porté par des serviteurs.

Peints de couleurs vives, les bateaux-dragons sont propulsés par des rameurs qui s'activent au rythme d'un tambour.

LE SAVAIS-TU?

EN CHINE, CHAQUE ANNÉE PORTE LE NOM D'UN DES 12 ANIMAUX DU ZODIAQUE CHINOIS. CES ANIMAUX SONT LES SUIVANTS : RAT, BUFFLE, TIGRE, CHAT, DRAGON, SERPENT, CHEVAL, CHÈVRE, SINGE, COQ, CHIEN ET SANGLIER.

DESSINE L'AVANT D'UN BATEAU-DRAGON

En Chine, le dragon est une créature bienveillante. Depuis l'Antiquité, les gens font des courses de bateaux dont l'avant est orné d'une tête de dragon.

IL TE FAUDRA :
PAPIER-CALQUE • CARTON • CRAYON À MINE • RÈGLE • CISEAUX • GOUACHE ET PINCEAU • STYLO

1 Découpe une feuille de papier-calque de 10 x 10 cm. Dessine sur cette feuille une grille composée de cases de 2 x 2 cm.

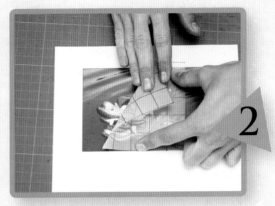

2 Place le papier-calque sur la tête de dragon représentée, ci-dessous. Copie-la sur le papier-calque.

3 Taille un carré en carton de 50 x 50 cm. Sur ce carton, trace une grille composée de cases de 10 x 10 cm.

4 Reproduis ce qui figure dans chaque petite case de ton papier-calque sur la grande case correspondante du carton.

5 Peins ton dragon de diverses couleurs. Une fois le tout bien sec, découpe la tête de dragon.

Les Chinois croient que le dragon porte chance. ▶

5

MONTAGNES, DÉSERTS ET FLEUVES

La montagne la plus haute du monde, l'Himalaya, borde la Chine à l'ouest.

La Chine est un immense pays. À l'ouest, se dresse une majestueuse chaîne de montagnes, l'Himalaya. Le nord est un territoire aride occupé par le désert de Gobi. À l'est, on trouve des **plaines** où serpentent deux des plus longs fleuves du monde, le fleuve Jaune et le fleuve Yangtsé. La plupart des villes de la Chine ancienne se trouvent dans l'est du pays, où les terres sont suffisamment plates pour que l'on puisse y bâtir des maisons.

CIRCULER SUR L'EAU

Les **voies navigables** jouent un rôle important pour la **civilisation** de la Chine ancienne. Bon nombre de villes sont construites le long de **canaux** où l'on circule en bateau. Le VIe siècle de notre ère voit la construction d'un gigantesque canal de 1 770 kilomètres, le Grand Canal, en vue de relier les deux grands fleuves du pays. Ce canal permet de transporter le riz, principale **culture** du pays, du sud vers le nord. Il est encore utilisé de nos jours.

En Chine, le Grand Canal permet depuis plus d'un millénaire d'assurer le transport de marchandises par bateau.

SEULS AU MONDE

Durant des millénaires, les Chinois pensent qu'ils sont le seul peuple au monde. Entrer ou sortir de la Chine est très difficile en raison des sommets escarpés et des déserts hostiles qui l'encerclent. Ce n'est que 200 ans avant notre ère que les Chinois rencontrent des gens de l'extérieur et découvrent l'existence d'autres cultures.

PRÉPARE UNE CARTE 3D DE LA CHINE

La Chine est un vaste pays qui compte des montagnes particulièrement élevées, des déserts arides et des villes qui se développent très vite.

On voit sur cette carte les hautes montagnes de Chine, ses déserts, ses fleuves et la Grande Muraille.

1

Regarde bien la carte illustrée en haut de la page et trace une version plus grande sur la feuille.

2

La partie noire correspond aux zones montagneuses. Froisse des petits morceaux de papier journal et colle-les sur ta carte. Peins-les en brun.

3

Les lignes bleues qui traversent le centre correspondent aux fleuves. Tresse trois brins de laine bleue ensemble puis colle-les sur la carte.

4

Les régions de couleur pâle correspondent aux déserts. Étale de la colle sur la partie qui y correspond sur ta carte, puis saupoudre le tout de sable.

Découpe soigneusement ta carte 3D de Chine!

5

La ligne brune qui traverse la carte correspond à la Grande Muraille de Chine. Colle des cubes de sucre sur le papier et peins-les en brun.

7

DIVINITÉS ET RELIGION

En Chine ancienne, on vénère toutes sortes de divinités. Les gens pensent que les dieux contrôlent tout ce qui se passe sur la Terre. Ils croient aussi que les membres de leur famille deviennent des dieux après leur décès, alors ils les vénèrent également. À l'époque des dynasties, la population chinoise reconnaît trois religions : le **taoïsme**, le **confucianisme** et le **bouddhisme**.

Les trois religions invitent les gens à vivre de façon paisible, sans faire la guerre ni blesser autrui.

◀ Cette statue de bronze représente Bouddha, fondateur du bouddhisme né en l'an 563 avant notre ère.

MONTE UN SPECTACLE D'OMBRES CHINOISES

Les Chinois de la civilisation ancienne se servent de marionnettes et d'un éclairage subtil pour présenter des spectacles d'ombres racontant l'histoire de dieux ou de héros.

Aujourd'hui encore, en Chine, on présente des spectacles d'ombres chinoises.

▼

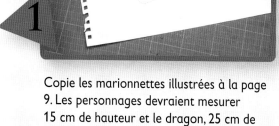

IL TE FAUDRA :
FEUILLE BLANCHE • CRAYON À MINE • CISEAUX • 4 BÂTONNETS EN BOIS • CARTON • LAMPE DE POCHE • RUBAN ADHÉSIF • GOUACHE ET PINCEAU

1

Copie les marionnettes illustrées à la page 9. Les personnages devraient mesurer 15 cm de hauteur et le dragon, 25 cm de hauteur.

2

Découpe les marionnettes et peinture-les en noir. Une fois le tout sec, fixe les bâtonnets de bois au verso avec du ruban adhésif.

TROIS RELIGIONS

Les taoïstes croient que toute chose vivante est habitée d'une force spéciale qu'il faut respecter. Les confucianistes suivent les enseignements de Confucius. Ce dernier professait qu'il fallait obéir aux chefs et aux dieux. Les bouddhistes croient que l'on peut être plus heureux si l'on renonce à ses possessions.

LA SCAPULOMANCIE

Les Chinois de la Chine ancienne utilisent des os d'animaux, appelés os-oracles, pour prédire l'avenir. Un prêtre écrit une question sur l'os d'un animal qui est ensuite chauffé jusqu'à ce qu'il se fendille. Les motifs ainsi formés offrent la réponse à la question que seul le prêtre peut interpréter.

Confucius est un grand philosophe du Vᵉ siècle avant notre ère.

3 Suspends le drap blanc. Ton auditoire doit se placer d'un côté du drap, tandis que les marionnettes éclairées par la lampe seront de l'autre côté.

Tu peux utiliser des attaches parisiennes et des bâtonnets supplémentaires pour articuler les membres de tes marionnettes et les faire bouger.

4 Dirige la lumière de la lampe de poche vers le drap. En tenant les marionnettes par le bâton derrière le drap, fais-les danser ou se déplacer pendant que tu racontes une histoire.

L'EMPEREUR

Dans la Chine impériale, l'empereur est le personnage le plus puissant du pays. Les Chinois disent qu'il est le « Fils du ciel » et pensent qu'il s'agit d'un dieu. Nul n'est supérieur à l'empereur, et tous doivent lui obéir. Les empereurs vivent toujours dans de vastes palais où s'activent des milliers de serviteurs. Ces palais sont également protégés par une imposante armée. Dans la plupart des cas, l'empereur est lui-même le descendant d'un empereur.

Autrefois fermée aux visiteurs, la Cité interdite représente aujourd'hui une attraction touristique fort prisée.

LA GRANDE MURAILLE DE CHINE

Au IIIe siècle avant notre ère, le premier empereur chinois Qin Shi Huangdi ordonne au peuple de bâtir une muraille monumentale. Il compte protéger ainsi son empire des attaques des tribus du Nord. Cette muraille, qui constitue le plus long ouvrage de fortification au monde, existe encore de nos jours et s'étire sur 6 700 kilomètres d'un bout à l'autre du nord de la Chine.

L'ARMÉE ENSEVELIE

Le premier empereur de Chine est enterré avec plus de 8 000 statues de soldats en argile grandeur nature, qui forment ce que l'on appelle son « armée en terre cuite ». Chaque soldat porte une arme en bronze véritable afin de défendre l'empereur dans l'au-delà. La sépulture comprend également des chariots et des chevaux, de même que des musiciens et des acrobates en argile. Ensevelis en 210 avant notre ère, les soldats n'ont été découverts qu'en 1974 de notre ère, soit plus de 2 000 ans plus tard.

Des milliers d'ouvriers ont été affectés à la construction du tombeau de l'empereur et de son armée en terre cuite.

FABRIQUE UN SOLDAT EN ARGILE

IL TE FAUDRA :
ARGILE À MODELER SANS
CUISSON • OUTIL
À MODELER

Chaque soldat de l'armée en terre cuite est différent.
Uniforme, coiffure et traits du visage diffèrent
d'un personnage à l'autre.

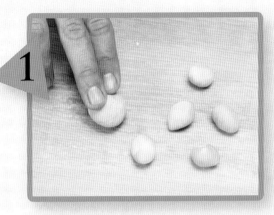

1 Roule une boule d'argile pour le tronc du
personnage et cinq autres plus petites pour
faire les bras, les jambes et la tête.

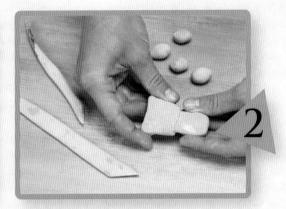

2 Façonne le tronc de ton personnage. Utilise
une partie de l'argile qui reste pour lui faire
une jupette. Presse-la bien contre le tronc
pour qu'elle reste en place.

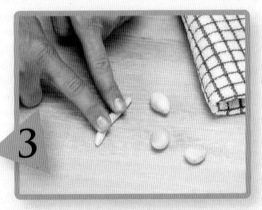

3 Transforme deux des petites boules en boudins
pour façonner les jambes et les pieds. Fais de
même pour les bras et les mains.

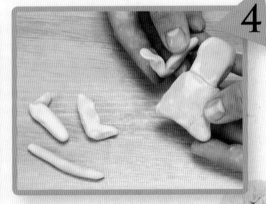

4 Presse bien la tête, les bras et les
jambes contre le tronc. Puis sculpte
la forme des mains et des pieds.

5 Fais un dernier petit boudin d'argile pour créer une collerette,
(espèce d'écharpe qui protège les soldats contre les coups).
Sers-toi de l'outil à modeler pour tracer les traits du visage
et les cheveux de même que les détails de l'armure.

Tu peux fabriquer
plusieurs soldats et
créer ta propre armée
en terre cuite.

NOBLES ET ARTISANS

En Chine, la maison traditionnelle est dotée d'un toit recourbé censé la protéger des mauvais esprits.

L'empereur et les membres de sa famille sont les citoyens les plus importants de la Chine ancienne. Viennent ensuite les **nobles**, qui possèdent la plupart des terres du pays et s'enrichissent considérablement en exigeant des **impôts** de ceux qui y vivent. Grâce à cet argent, les nobles peuvent s'offrir d'immenses propriétés, de même que des armes, des vêtements et des bijoux luxueux.

LE SAVAIS-TU?
CERTAINES CITÉS DE LA CHINE ANCIENNE SONT VRAIMENT POPULEUSES. XI'AN ET LIN'AN, PAR EXEMPLE, COMPTAIENT CHACUNE PLUS D'UN MILLION D'HABITANTS.

LA CITÉ
La plupart des nobles habitent dans une cité. Les Chinois figurent parmi les premiers peuples à bâtir de vastes cités. Les riches, comme les nobles, occupent généralement une extrémité de la ville, tandis que les pauvres vivent à l'autre extrémité. Chaque cité est entourée de remparts. La nuit, on bloque les accès, si bien que nul ne peut ni y entrer ni en sortir.

La muraille de Pingyao a été construite au XIVe siècle. Elle fait 12 m de hauteur, 6 000 m de longueur et compte 72 tours de guet.

LES AUTRES CLASSES SOCIALES

Dans l'échelle sociale de la Chine ancienne, les **artisans** occupent une place importante après les nobles. Ce sont eux qui fabriquent divers objets particulièrement prisés, comme les armes, les bijoux et la soie. La Chine compte aussi beaucoup de marchands, qui échangent des produits en Chine et à l'étranger.

Décore plusieurs épées différemment, puis fais semblant d'engager un combat avec tes amis.

En Chine ancienne, cette épée est appelée « dao ». Sa lame légèrement recourbée est très acérée d'un côté.

FABRIQUE TON ÉPÉE CHINOISE

En Chine, les seigneurs doivent combattre dans l'armée de l'empereur. Ils ont cependant les moyens de s'offrir les meilleures épées, généralement merveilleusement décorées.

IL TE FAUDRA :
CARTON ÉPAIS • PAPIER ALUMINIUM • CISEAUX • CRAYON À MINE • PEINTURE MÉTALLIQUE ET PINCEAU • FICELLE • PERLES • CRAYON-FEUTRE • RÈGLE • PERFORATEUR

Sur le carton, trace la forme de ton épée. Dessine un manche de 10 cm de longueur et une lame de 30 cm de longueur.

Couvre la poignée de peinture métallique et laisse sécher. Puis dessine divers motifs décoratifs sur le manche, au crayon-feutre.

Coupe une feuille de papier d'aluminium un peu plus longue que la lame et faisant deux fois sa largeur. En serrant bien, enroule le papier autour de la lame.

Fais un trou à une extrémité du manche. Glisse la ficelle dans le trou, enfile ensuite les billes puis fixe-les en faisant un nœud.

13

GUERRE ET GUERRIERS

A vant d'être réunis en un seul pays, les divers territoires (ou « États ») se livrent de nombreuses batailles. On appelle cette période : « l'époque des Royaumes combattants ». Une fois la Chine unifiée, l'empereur doit continuer de se battre contre ceux qui veulent s'emparer de son trône. En fait, la guerre éclate si souvent en Chine qu'un grand général nommé Sun Tzu prend la peine de rédiger un traité de stratégie militaire intitulé *L'Art de la guerre*.

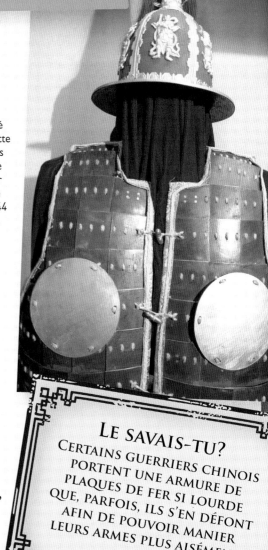

▶ On a retrouvé ce casque et cette armure enfouis dans la tombe d'un empereur de la dynastie Ming (1368-1644 de notre ère).

LES ARMES

Au combat, les Chinois utilisent des haches et des *jis* en bronze. Les nobles s'engagent dans la bataille, sur des chars tirés par des chevaux. Les simples soldats sont à pied. Sur les champs de bataille de Chine, le combat commence généralement par des tirs à l'**arbalète**, les armées se faisant face. Ce sont d'ailleurs les Chinois qui inventent cette arme, au Ve siècle avant notre ère. Ils s'en servent pour projeter très loin de grosses flèches munies d'un fer à quatre faces, appelé « **carreau** ».

▲ En Chine ancienne, on fabrique de petites arbalètes et catapultes que l'on tient à la main pour projeter de gros objets.

LE SAVAIS-TU?
CERTAINS GUERRIERS CHINOIS PORTENT UNE ARMURE DE PLAQUES DE FER SI LOURDE QUE, PARFOIS, ILS S'EN DÉFONT AFIN DE POUVOIR MANIER LEURS ARMES PLUS AISÉMENT.

JEUX MILITAIRES

Certains chercheurs ont émis l'hypothèse que les dirigeants militaires de la Chine ancienne exerçaient leur talent de stratège en jouant à certains jeux, comme le jeu de go (aussi appelé weiqi). En Chine, ce jeu de stratégie existe depuis plus de trois millénaires.

◀ Ces joueurs de go utilisent une planche de jeu grand format faite d'une grille de 18 cases par côté.

FABRIQUE UN JEU DE GO

Le but du jeu consiste à t'emparer d'un territoire plus grand que ceux de tes adversaires, tout comme une armée qui fait la conquête d'un pays.

IL TE FAUDRA :
CARTON • STYLO • RÈGLE •
24 PERLES ROUGES •
24 PERLES BLEUES

1

Dans le carton, découpe un carré de 20 x 20 cm. Sur ce carton, dessine une grille composée de cases de 2,5 x 2,5 cm.

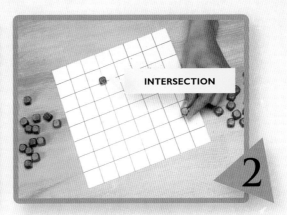

2

INTERSECTION

Chacun votre tour, ton adversaire et toi devez placer un pion sur une intersection (le point de rencontre de deux lignes) de votre choix. Les bleus jouent en premier.

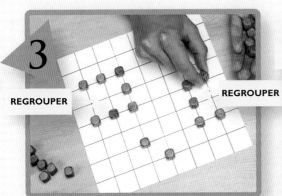

3

REGROUPER

REGROUPER

Regroupe tes pions en formant des lignes horizontales ou verticales (et non diagonales).

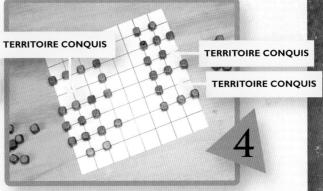

4

TERRITOIRE CONQUIS

TERRITOIRE CONQUIS

TERRITOIRE CONQUIS

Empare-toi d'une section du jeu avant que ton adversaire ait le temps d'y placer ses pions.

5

PIONS BLEUS ÉLIMINÉS (À RETIRER DU JEU)

PIONS ROUGES ÉLIMINÉS (À RETIRER DU JEU)

Tu peux également prendre les pions (ou soldats) de ton adversaire en les encerclant de tes propres pions. Tu peux ensuite retirer ses pions du jeu.

COMMENT GAGNER?

RÈGLE POUR DEUX JOUEURS

À tour de rôle, chaque joueur dépose un de ses pions sur le jeu jusqu'à ce qu'ils soient tous en place. À la fin, on compte le nombre d'intersections occupées par chaque joueur, y compris celles qui se trouvent en bordure du jeu. On obtient un point par intersection et un point par pion capturé. Celui qui accumule le plus grand nombre de points gagne la partie.

FERMIERS ET PAYSANS

La plupart des citoyens de la Chine ancienne ne sont pas riches et ne vivent pas dans les villes. Ce sont des paysans qui travaillent aux champs, cultivant la terre et élevant des animaux. La plupart ne sont pas propriétaires de leur terre : elle appartient au seigneur, à qui ils doivent donner une partie de leur production. Ils doivent aussi participer à la construction des demeures de ce noble.

Ces paysans de la Chine ancienne récoltent le riz d'une **rizière** inondée. ▶

FABRIQUE UN CHAPEAU DE PAILLE

Les paysans qui travaillent aux champs portent un chapeau de paille pointu. Son large bord les protège du soleil et de la pluie.

IL TE FAUDRA :
CARTON JAUNE • GRANDE ASSIETTE • CRAYON À MINE • CISEAUX • COLLE • RUBAN • RÈGLE • RUBAN ADHÉSIF

◀ De nos jours, en Chine, les ouvriers agricoles portent encore le chapeau conique traditionnel.

1

À l'aide de l'assiette, trace un grand cercle sur le carton jaune, puis découpe-le soigneusement.

4

Replie le bord sec sur le bord enduit de colle de manière à former un cône.

16

UNE VIE À LA DURE

La vie à la ferme n'est pas facile. Toute la famille participe aux travaux agricoles. La majorité du travail se fait à la main. Les paysans labourent le sol et ensemencent les champs, en plus de transporter l'eau et la récolte eux-mêmes. Seuls les riches fermiers peuvent se payer des animaux qui tirent la **charrue** ou transportent le matériel lourd.

◀ Les fermiers se servent souvent d'un bœuf pour tirer la charrue dans la rizière.

LE SAVAIS-TU?
EN L'AN 207 AVANT NOTRE ÈRE, LES PAYSANS CHINOIS PRENNENT CONSCIENCE DES MAUVAIS TRAITEMENTS QUI LEUR SONT INFLIGÉS PAR LEURS SOUVERAINS. ILS SE RÉVOLTENT ET CHASSENT L'EMPEREUR DE SON TRÔNE.

BÂTIMENTS ET MACHINERIE

L'été, les paysans dorment dans des huttes fraîches dont les murs minces sont en bambou. L'hiver, ils s'installent dans des maisons plus chaudes aux murs épais de briques de terre. Les Chinois inventent bon nombre de machines destinées à faciliter leur travail au champ, notamment pour **irriguer** les rizières.

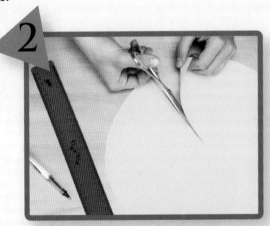

2

Trace une marque de repère au centre du cercle, trace une ligne à partir de ce repère jusqu'au bord et découpe cette ligne.

3

Étends un peu de colle sur l'un des bords découpés.

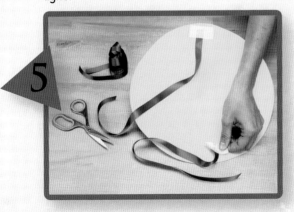

5

Colle un ruban sur chaque côté du chapeau, à l'intérieur. Noue les rubans sous ton menton.

Le chapeau conique est simple et facile à faire. C'est le couvre-chef idéal des paysans pauvres. ▶

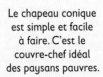

HABILLEMENT ET FARDS

Dans la Chine ancienne, riches et pauvres ne s'habillent pas de la même façon. Les nobles, hommes et femmes, portent des robes, des **tuniques** et des chaussures plus coûteuses. Celles-ci arborent de belles couleurs vives grâce à l'utilisation de **pigments** tirés des plantes, avec lesquels on fait des teintures. Elles sont aussi ornées de motifs animaliers ou végétaux. Les gens ordinaires se contentent de vêtements simples, sans aucune couleur, souvent faits d'une étoffe rude et grossière appelée ramie. Leurs sandales sont en paille.

◀ Certains marchands de la Chine ancienne s'enrichissent considérablement. Cette épouse de marchand porte une robe en soie très coûteuse.

Peigne à cheveux en bronze datant du VIIe siècle de notre ère. ▶

COIFFURES ET FARDS

Hommes et femmes gardent les cheveux longs. Les hommes portent un **chignon** sur la tête, tandis que les femmes se composent de savantes coiffures retenues par des peignes et des épingles. Elles se servent d'un délicat éventail pour garder la mine fraîche. Elles utilisent aussi des fards – c'est-à-dire du maquillage – pour leur visage. Hommes ou femmes, les plus fortunés se parent de bijoux en or et en **jade**, les deux matières les plus précieuses au monde selon les Chinois.

> ### LE SAVAIS-TU?
> EN CHINE ANCIENNE, LES FEMMES MODIFIENT LE TRACÉ DE LEURS SOURCILS AU GRÉ DES MODES. PARFOIS, ELLES LES AFFINENT EN COURBE; À D'AUTRES MOMENTS, ELLES LEUR DONNENT UNE FORME DE « V » INVERSÉ.

◀ Les éventails sont encore très courants en Chine. On voit ici des gens en train de s'exercer à manipuler l'éventail.

LA SOIE

Les plus beaux vêtements sont faits d'une étoffe spéciale appelée « soie ». On l'obtient en tissant un fil tiré du cocon de la larve du mûrier. La larve qui fabrique ce **cocon** est appelée « ver à soie ». En Chine ancienne, les vers à soie sont très précieux et dispendieux.

FABRIQUE UN ÉVENTAIL CHINOIS

En Chine ancienne, hommes et femmes utilisent un éventail pour se rafraîchir pendant les chaudes journées d'été.

IL TE FAUDRA :
PAPIER • GOUACHE ET PINCEAU • 2 BÂTONNETS EN BOIS • COLLE • CRAYON À MINE • RÈGLE • CISEAUX

1

Mesure une bande de papier de 15 x 76 cm et découpe-la.

2

Dessine et peins un motif sur la bande (par exemple, un dragon).

3

Colle un bâtonnet en bois à chaque extrémité de ta bande de papier. Fais des plis en accordéon de 2 cm de largeur sur toute la bande.

Agite l'éventail devant ton visage pour te rafraîchir. ▶

4

Pour former ton éventail, ramène les deux bâtonnets en bois l'un contre l'autre, de façon à former un cercle en papier.

DES INVENTIONS INGÉNIEUSES

La Chine ancienne a vu naître une foule d'inventions qui ont totalement changé le monde. Les empereurs demandent aux savants d'inventer diverses machines pouvant faciliter la vie des Chinois. Bon nombre d'inventions chinoises sont encore utilisées de nos jours, notamment la cloche, le compas, le tambour, les feux d'artifice, la poudre à feu, le cerf-volant, le papier, le papier-monnaie, l'imprimerie, les jeux de cartes, la soie, la brosse à dents et le parapluie.

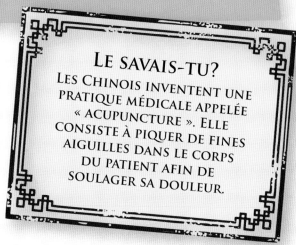

LE SAVAIS-TU?

LES CHINOIS INVENTENT UNE PRATIQUE MÉDICALE APPELÉE « ACUPUNCTURE ». ELLE CONSISTE À PIQUER DE FINES AIGUILLES DANS LE CORPS DU PATIENT AFIN DE SOULAGER SA DOULEUR.

PAN! PAN!

La poudre à feu est inventée en Chine au VIIIe siècle. Il s'agit d'une poudre qui s'enflamme lorsqu'on l'allume. Cette invention permet aux Chinois de créer de nouvelles armes – comme les bombes et les fusils – beaucoup plus puissantes que tout ce qui a été utilisé auparavant. Les Chinois se servent également de la poudre à feu pour faire des feux d'artifice.

 Cette peinture datant du XIXe siècle montre une fête chinoise où l'on s'amuse avec des feux d'artifice et des cerfs-volants.

Fabriqué au IXe siècle avant notre ère, ce livre constitue le premier livre daté au monde.

PAPIER ET PEINTURE

De toutes les inventions attribuées au Chinois, le papier est incontestablement la plus importante. Inventé au IIe siècle, il est alors fait de résidus de soie. Aujourd'hui, le papier provient du bois. Plus tard au IXe siècle, les Chinois inventent l'imprimerie, ce qui facilite énormément la production des livres et en diminue le coût. Apprendre à lire et à écrire devient alors accessible à un plus grand nombre de personnes.

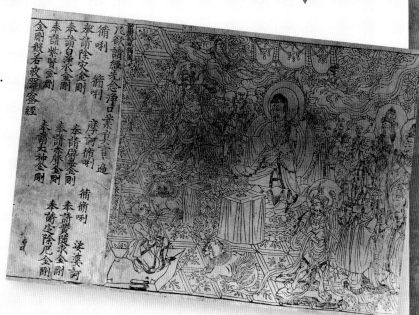

FABRIQUE DU PAPIER ARTISANAL

Les Chinois se rendent compte que de nombreux matériaux comme l'écorce d'arbre, le bambou et même de vieux chiffons peuvent être transformés en papier.

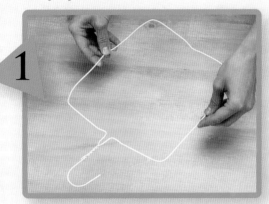

1 Demande à un adulte d'étirer le cintre de façon à obtenir un cadre carré, comme le montre l'illustration.

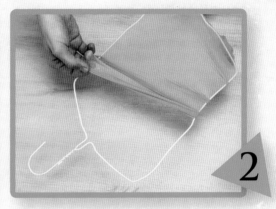

2 Coupe une extrémité du bas-culotte, puis tends-le sur le cadre métallique.

3 Remplis le bol d'eau chaude, puis déposes-y les morceaux de papier journal. Demande à un adulte de passer le tout au mélangeur jusqu'à l'obtention d'une consistance pâteuse.

4 Enfile les gants en caoutchouc pour incorporer le colorant alimentaire au mélange obtenu. Étale le tout en couche uniforme sur le cadre.

5 Laisse sécher. Et voilà, tu as fabriqué une feuille de papier de couleur!

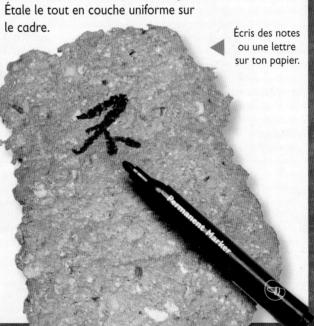

Écris des notes ou une lettre sur ton papier.

TROC ET COMMERCE

À l'époque de la civilisation ancienne, les marchands chinois échangent ou vendent leurs marchandises dans de nombreux autres pays ou empires. Avant l'avènement de l'automobile, du train et de l'avion, il faut parfois des mois à un marchand pour se rendre dans un pays lointain. Les commerçants dirigent des caravanes de chameaux chargés des marchandises les plus précieuses du pays, comme du thé, des épices, de la porcelaine et de la soie. Ces caravanes se rendent en Inde, en Asie et en Europe en empruntant une très longue route, appelée « la route de la Soie ».

◀ Cette caravane de marchands chemine sur la route de la Soie pour se rendre en Europe et échanger de la soie contre de l'or qu'ils revendent ensuite en Chine.

Les jonques ont vu le jour sous la dynastie des Han, soit entre l'an 220 avant notre ère et l'an 200 de notre ère. ▼

LE COMMERCE EN BATEAU

Les Chinois font aussi le commerce outre-mer. La marchandise est transportée dans de grands voiliers appelés « jonques ». Ces bateaux servent aussi à véhiculer les représentants du gouvernement en mission à l'étranger et permettent aux explorateurs d'arpenter les mers en quête de nouveaux territoires. Le compas est alors un précieux outil qui permet de s'**orienter**.

LE SAVAIS-TU?
AU XIᵉ SIÈCLE, LES CHINOIS CONÇOIVENT LA PREMIÈRE HORLOGE MÉCANIQUE AU MONDE. ACTIONNÉE PAR DES SEAUX D'EAU GÉANTS, ELLE FAIT 10 MÈTRES DE HAUTEUR.

LA MONNAIE

Dans la civilisation ancienne chinoise, les gens se servent souvent de **cauris** en guise de monnaie. Les premières pièces métalliques apparaissent en Chine aux environs de l'an 1800 avant notre ère. Elles sont en bronze et percées au centre. Au XIᵉ siècle, la Chine fabrique le premier papier-monnaie au monde.

FABRIQUE UN COMPAS

Les Chinois inventent le compas ce qui permet aux marins de s'orienter en mer.

Les premiers compas chinois étaient fabriqués avec de la pierre d'aimant, un minerai de fer qui pointe vers le nord.

À partir du VIIe siècle, les Chinois fabriquent des compas à l'aide d'aiguilles magnétiques qui flottent sur l'eau.

1

CHAS DE L'AIGUILLE

Frotte l'aimant à quelques reprises sur toute la longueur de l'aiguille (du chas de l'aiguille à sa pointe).

2

Demande à un adulte de couper une rondelle du bouchon de liège.

3

À l'aide de ruban adhésif, fixe l'aiguille sur le dessus de la rondelle de liège.

4

Dépose le liège dans le bol d'eau. L'aiguille aimantée pointera en direction du pôle Nord.

LES ARTS ANCIENS

Les artistes et les artisans chinois de l'Antiquité sont très talentueux. Ils fabriquent des bijoux et des objets décoratifs à partir de toutes sortes de matières, dont le bronze, l'argile, l'or, le jade et l'ivoire. Les résidences des nobles regorgent de ces beaux objets. L'art et l'artisanat chinois sont aussi très recherchés en Europe, où l'on paie très cher pour en posséder. Ainsi, afin de pouvoir vendre encore plus de marchandise à l'étranger, les empereurs font construire de grandes fabriques où les artisans se réunissent et créent beaucoup d'objets d'art.

LA PORCELAINE

Faite d'une d'argile très particulière, la porcelaine de Chine est très réputée. Les assiettes, tasses et vases sont particulièrement prisés, tant en Chine qu'en Europe. Ceux-ci sont souvent ornés de paysages composés d'arbres, de rivières et de montagnes.

◄ La poterie chinoise, comme ce bol bleu et blanc, commence à susciter un engouement en Europe aux environs du XVIIe siècle.

En Chine, la calligraphie est un art qui consiste à peindre des lettres avec un pinceau trempé dans l'encre. ▼

TROIS ARTS EN UN SEUL

Les Chinois lettrés, c'est-à-dire ceux qui sont très instruits, sont tenus de s'initier à trois formes d'art : la calligraphie, la poésie et la peinture. Pour démontrer sa maîtrise de chacune, il arrive qu'un lettré produise une peinture accompagnée d'un poème soigneusement calligraphié, réunissant les trois arts en un seul.

CALLIGRAPHIE UN PROVERBE

Les Chinois de la Chine ancienne aiment calligraphier de courtes phrases empreintes de sagesse, appelées « proverbes ». Choisis un proverbe qui t'inspire et note-le sur un signet.

Écris l'un ou l'autre de ces proverbes sur ton signet.

Glisse le signet dans ton livre afin de ne pas perdre ta page.

Mieux vaut être heureux que riche.

Mieux vaut tard que jamais.

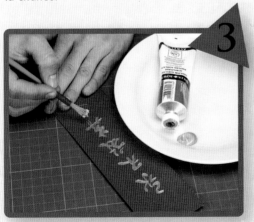

Découpe une bande de carton rouge de 6 x 20 cm. En Chine, le rouge symbolise la chance.

Trace le contour des lettres calligraphiées de ton proverbe. L'écriture chinoise se lit de haut en bas et non de gauche à droite.

Peins tes lettres calligraphiées avec de la gouache or.

Fais un trou au bas du signet, enfiles-y le ruban et noue-le.

LE CARNAVAL DU NOUVEL AN

Présentée à la fête du Nouvel An, la danse du Dragon est censée porter bonheur.

> ### LE SAVAIS-TU?
> LA CHINE ANCIENNE POSSÈDE DE NOMBREUX ACROBATES ET FUNAMBULES DE GRAND TALENT QUI EXÉCUTENT PIROUETTES, SAUTS PÉRILLEUX ET JONGLERIE POUR DIVERTIR L'EMPEREUR ET LA FAMILLE IMPÉRIALE.

Dans la Chine ancienne, les Chinois ont maintes occasions de s'amuser. On fête tantôt les saisons, tantôt un dieu et l'empereur, tantôt les ancêtres disparus. Le Nouvel An est sans contredit la plus grande de toutes les festivités. Au début du printemps, les célébrations du Nouvel An s'étalent sur une quinzaine de jours. Des festins, des lanternes de couleur, l'échange de présents, la musique et la danse sont au rendez-vous. En Chine, le Nouvel An est encore célébré de nos jours.

LA CHANCE A SA COULEUR

En Chine, on dit que le rouge symbolise la chance. Au Nouvel An, les gens portent des vêtements rouges et donnent à leurs enfants des enveloppes rouges dans lesquelles ils glissent de l'argent. Ils font également des feux d'artifice impressionnants. On croit que le grand bruit fait fuir les mauvais esprits.

LES JEUX

Les Chinois de la Chine ancienne aiment les jeux. À l'intérieur, ils jouent aux dés, aux cartes ou à des jeux de société comme le go. À l'extérieur, ils jouent à la balle et font voler de beaux cerfs-volants aux couleurs vives dans le ciel. Ils aiment aussi faire de la musique avec des tambours, des flûtes et des cloches.

En Chine, des énigmes, que les enfants s'amusent à résoudre, figurent souvent sur les lanternes.

FABRIQUE UNE LANTERNE CHINOISE

Juste après le **Nouvel An** se déroule le festival des lanternes. C'est alors que l'on allume une multitude de lanternes colorées pour chasser les mauvais esprits.

IL TE FAUDRA :
PAPIER DE COULEUR DE 20 X 30 CM • CISEAUX • GOUACHE ET PINCEAU • COLLE • FEUILLES DE PAPIER DE 3 X 30 CM

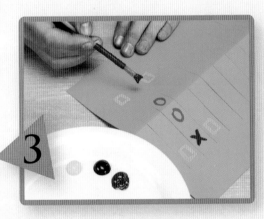

1 Plie ton papier de couleur en deux, dans le sens de la longueur.

2 À partir du pli, fais des entailles de 6 cm de longueur tous les 2 cm.

3 Déplie ton papier et décore-le de divers motifs à la gouache.

4 Une fois le tout bien sec, roule le papier en tube et colle les deux extrémités ensemble.

5 Fais une poignée en utilisant une bande de papier de 3 x 30 cm que tu recourberas. Colle chaque extrémité à l'intérieur de la lanterne.

Tu peux fabriquer plusieurs lanternes chinoises que tu suspendras ensuite en rangée.

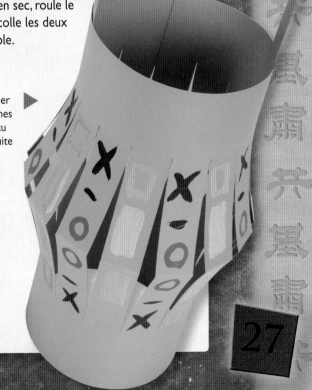

ALIMENTS ET BOISSONS

Les Chinois sont le premier peuple du monde à faire la culture du riz. Cette culture remonte à 7000 ans et devient rapidement la plus importante du pays. Le riz reste d'ailleurs la denrée la plus consommée en Chine aujourd'hui. Les Chinois de la Chine ancienne consomment beaucoup de légumes et de soya dont le grain est utilisé pour la fabrication du tofu et de la sauce soya. Cette sauce sert à relever le goût des aliments.

▲ Dans certaines régions de la Chine, on sculpte la montagne en terrasses afin d'y cultiver le riz.

PRÉPARE DES DIM SUMS CHINOIS AUX ŒUFS

En Chine, les tartelettes aux œufs font partie des mets de choix, à l'instar du gâteau au chocolat ou de la tarte aux pommes en Amérique du Nord.

IL TE FAUDRA :
1 ŒUF BATTU • 2 C. À SOUPE DE SUCRE EN POUDRE • PLAQUE DE CUISSON • 120 ML DE LAIT • 8 MOULES À TARTELETTE • BOL À MÉLANGER • CUILLER EN BOIS • CUILLER EN MÉTAL • GRILLE

1

Dans un bol, mélange l'œuf battu et le lait. Ajoute le sucre.

4

Fais cuire le tout au four pendant 20 minutes à 200 °C (400 °F).

▲ Les dim sums sont des mets légers traditionnellement servis avec du thé.

LA CUISINE ET LES REPAS

La Chine ancienne compte peu de forêts, si bien qu'il y a peu de combustible pour cuisiner. Pour utiliser le moins de bois possible, les Chinois coupent leurs aliments en petits morceaux ce qui permet une cuisson rapide. Il est également plus facile de manger avec des **baguettes** lorsque les aliments sont coupés de la sorte. De nos jours, la plupart des Chinois utilisent encore des baguettes à table.

La cuisine chinoise d'aujourd'hui ressemble ▶ beaucoup à celle d'il y a quelques siècles.

LE SAVAIS-TU?

En Chine, les pêcheurs se servent de cormorans (une sorte d'oiseau) apprivoisés pour pêcher. Ils installent des anneaux autour du cou du cormoran, ce qui l'empêche d'avaler sa prise.

LES BOISSONS

La boisson préférée des Chinois de la Chine ancienne est sans contredit le thé, que l'on prépare en jetant des feuilles de théier séchées dans l'eau bouillante. On fait le thé dans un grand contenant avant de le verser dans de petits bols. Les Chinois croient que le thé est bon pour la santé et qu'il prévient de nombreuses maladies.

2

Remue le mélange avec la cuiller en bois, jusqu'à l'obtention d'une texture lisse. Verse le tout dans un contenant muni d'un bec verseur.

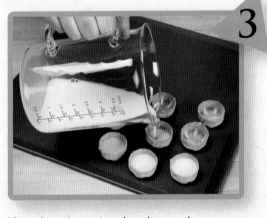

3

Verse la préparation dans les moules à tartelette, en les remplissant jusqu'à 1 cm du bord.

5

Vérifie la cuisson en piquant un ustensile au milieu d'une tartelette. S'il en ressort propre, les dim sums sont prêts.

Ces flans à la chinoise constituent ▶ une savoureuse collation.

GLOSSAIRE

arbalète : Arme servant à lancer un projectile appelé « carreau ».

artisan : Personne qui fait un travail manuel spécialisé.

baguettes : Paire de bâtonnets minces, généralement en bois, utilisés pour manger.

bouddhisme : Religion fondée sur les enseignements de Bouddha, qui croit que les gens peuvent trouver la paix intérieure s'ils cessent de s'inquiéter de ce qu'ils possèdent.

canal : Voie navigable creusée par l'homme, servant généralement au transport de marchandises par bateau.

carreau : Petit projectile lancé par une arbalète.

cauris : Coquillage lisse et brillant.

charrue : Machine agricole qui creuse des sillons dans la terre afin de la préparer à l'ensemencement.

chignon : Coiffure dans laquelle les cheveux sont roulés et attachés en nœud derrière la tête.

civilisation : Mode de vie et culture qu'ont en commun les membres d'une société.

cocon : Enveloppe formée d'un long fil de soie tissé par une chenille qui se métamorphose en papillon de jour ou de nuit.

confucianisme : Mode de pensée inspiré des enseignements de Confucius, qui disait que les gens devraient respecter les règles dictées par les familles, les dirigeants et les dieux.

culture : Plantes cultivées en vue de servir de nourriture ou pour un autre usage.

démocratie : Forme de gouvernement où tous les citoyens d'un pays décident de leurs dirigeants.

État : Région ou pays qui obéit à un même gouvernement ou dirigeant.

fondation : Date où l'on délimite un territoire pour la première fois.

génération : Ensemble de personnes ayant vécu à peu près à la même époque.

impôt : Argent ou marchandise prélevés auprès des citoyens afin qu'ils contribuent au fonctionnement du gouvernement.

irriguer : Arroser les terres cultivées en dirigeant l'eau dans les champs, généralement par un réseau de canaux ou de rigoles.

jade : Pierre minérale verte à laquelle les Chinois attribuaient des propriétés magiques.

***ji* :** Arme composée d'une lame acérée, fixée au bout d'une lance.

nobles : Personnes dotées d'un certain pouvoir du fait que leurs parents occupaient une place importante dans la société.

pigment : Substance naturelle utilisée pour teindre ou colorer les objets.

plaine : Vaste étendue de terre plate et peu élevée.

rizière : Terrain inondé où l'on effectue la culture du riz.

s'orienter : se diriger vers un lieu donné en utilisant des instruments, des cartes ou les étoiles.

taoïsme : Mode de pensée fondé sur les enseignements de Lao-Tseu, qui croyait que les gens devaient vivre simplement, en harmonie avec la nature.

tunique : Vêtement ample et sans manches ressemblant à une robe longue.

voie navigable : Rivière, ruisseau, canal ou autre cours d'eau sur lequel on peut se déplacer en bateau.

INDEX

NOTES AUX PARENTS ET AUX ENSEIGNANTS

- Sur Internet et à la bibliothèque, vous trouverez des informations sur les sujets que nous vous suggérons d'explorer avec les enfants.

- Invitez les enfants à faire une recherche sur les vêtements que portaient les Chinois de la Chine ancienne. L'habillement des hommes et des femmes était-il différent? Qui portait de la soie? La couleur des vêtements était-elle importante? Expliquez la tradition des pieds bandés.

- Explorez l'importance et la signification des dragons dans la mythologie chinoise. Y avait-il beaucoup de dragons? Faites une recherche pour découvrir comment ils étaient représentés. Vous pouvez demander aux enfants de dessiner leur dragon préféré. Ces symboles existent-ils encore aujourd'hui? Quelle est leur signification?

- Découvrez quelles sont les traditions rattachées au Nouvel An chinois, comme le ménage dans la maison, l'offrande des enveloppes rouges et les danses du lion. Demandez aux enfants d'illustrer les différentes étapes de cette fête.

- Lisez ou racontez des histoires et des légendes de la Chine ancienne et demandez aux enfants d'illustrer leur histoire ou légende préférée sous forme de bande dessinée ou d'album.

- Dressez une liste de plusieurs proverbes chinois et expliquez le message qu'ils transmettent. Demandez aux enfants d'inventer un style de calligraphie qu'ils utiliseront pour écrire leur proverbe préféré, puis faites-en une exposition.

- Apprenez aux enfants à écrire quelques signes chinois et expliquez en quoi ce système pictographique diffère de notre système phonétique.

- Explorez quels sont les principaux ingrédients de la cuisine chinoise, leur méthode de cuisson et leurs mets les plus caractéristiques. Puis, faites la préparation d'un repas chinois avec les enfants et dégustez-le.

- Tracez une carte de la route de la Soie. Depuis quand la route de la soie existe-t-elle? Pourquoi porte-t-elle ce nom? Quels villes et déserts traverse-t-elle? Quel moyen de transport utilisait-on pour voyager? Demandez aux enfants d'écrire un carnet de voyage dans lequel le narrateur est un marchand de la Chine ancienne.

- Nous vous invitons à visiter notre site Internet http://www.scholastic.ca/editions où vous pourrez trouver des ouvrages à l'appui de vos activités et du sujet étudié.